Les dieux de l'Égypte

Petit dictionnaire illustré

Marc Étienne

W9-BPO-767

Les dieux de l'Égypte

Les dieux égyptiens suscitent depuis toujours curiosité et interrogations. Leur nombre et leur aspect, que nous ont conservés bas-reliefs et statues, donnent l'impression d'un monde complexe où il peut sembler parfois difficile de se retrouver.
Comme toute religion, celle de l'Égypte ancienne a subi des transformations, des ruptures, des réformes au gré des quatre mille ans de son histoire. Des associations simples ou complexes, des fusions, des regroupements ou des dissociations de dieux en ont résulté. Parfaitement cohérente au regard des systèmes de pensée égyptiens, cette organisation paraît souvent illogique ou contradictoire à nos yeux.
Les premières représentations de divinités apparaissent vers 3500 avant J.-C. sous la forme d'objets ou d'animaux réels ou imaginaires. Le type le plus connu, celui d'un être humain à tête d'animal, se rencontre dès la Ire dynastie (vers 3100 avant J.-C.) et restera en usage jusqu'à la fin de l'époque romaine au IVe siècle après J.-C. Si ce mode de représentation existe également dans d'autres religions - antiques ou actuelles -, sa signification ne peut néanmoins être séparée de l'environnement culturel de la vallée du Nil.

Les enseignes divines empoignant une corde
La palette au taureau (détail)
Fin de l'époque de Nagada, vers 3100 av. J.-C.
Grauwäcke - H 26,5 cm ; L 14,5 cm
E 11255 - Don Tigrane Pacha
1er étage, salle 20, vitr. 2

Qu'est ce qu'un dieu ?

Les dieux et les hommes possèdent de nombreux points communs. Ils peuvent naître, grandir, vivre en famille ou en société, vieillir et même mourir. Ils ont un nom, un corps, des sentiments. Ils mangent, boivent, se saoulent, rient, mentent, s'insultent, boudent, se mettent en rage, se battent. Ces aspects très humains cachent cependant une nature exceptionnelle : leur corps, ou leur cadavre, est composé de matières précieuses ; ils peuvent changer de forme ou d'apparence ; leurs larmes, leur sueur, leur sang donnent naissance à des êtres, des végétaux au parfum agréable ou à des minéraux. Les phénomènes naturels (crue du Nil, cycles de la lune et du soleil, pluies, vents, tempêtes) et les astres sont identifiés à certaines de leurs manifestations. Ils détiennent aussi la puissance leur permettant de détruire ou d'écarter toute force mauvaise qui tente de perturber l'ordre cosmique et le monde qu'ils ont créé. Leur rendre un culte, c'est leur permettre de garantir la bonne marche de l'univers.

Le temple et le roi sont les intermédiaires nécessaires entre le monde des dieux et celui des hommes. Des éléments du paysage - montagnes, rochers, villes ou forteresses - peuvent être divinisés. Des hommes l'ont été aussi : des rois, tel Aménophis Ier, et certains de leurs sujets, comme Imhotep, l'architecte de la pyramide du roi Djéser à Saqqara. Les dieux se reconnaissent à leurs attitudes, à leurs accessoires et à leurs coiffures. Ces éléments caractérisent leur pouvoir et peuvent être empruntés par d'autres dieux dans un contexte particulier. Le dieu « emprunteur » assume alors, outre les siennes, les fonctions et la nature du dieu « prêteur », ce que traduit l'accumulation des accessoires.

Dès lors, pour représenter les dieux, toutes les combinaisons sont possibles : forme entièrement humaine ou animale ou encore mixte, corps humain à tête d'animal, corps animal à tête humaine (le sphinx) et même corps animal comportant la tête d'un autre animal (crocodile ou lion à tête de rapace par exemple).

Les dieux-animaux

Les rapports des Égyptiens avec le monde animal paraissent à première vue curieux : ils ont des animaux domestiques, se nourrissent de bœuf, de volaille et de poisson, chassent des animaux sauvages, mais vénèrent aussi des représentants de ces mêmes espèces. Certains animaux, tels la chauve-souris, le papillon, la mouche, semblent ne jamais être associés à un dieu. D'autres sont communs à plusieurs divinités (le faucon, le vautour, la lionne) ou réservés à une seule (le scarabée, l'ibis). Une observation très précise du comportement des animaux dans la nature a permis aux Égyptiens d'intégrer leurs facultés spécifiques aux caractéristiques qu'ils ont isolées pour définir tel ou tel dieu et son pouvoir.

Il existe ainsi des animaux sacrés qui, selon les textes, sont sur terre la « réplique vivante » d'un dieu. Un seul individu de l'espèce concernée bénéficie alors de ce statut. D'autres animaux simplement associés à des divinités sont élevés dans des temples ou à proximité, et parfois momifiés. Vers 900 av. J.-C., les Égyptiens sacrifient de tels animaux - chats, chiens, béliers, ibis, crocodiles, serpents - spécialement pour les embaumer et les faire enterrer dans des cimetières spéciaux. Interprétés comme une offrande faite au dieu de son espèce favorite, ces actes vont, à l'époque grecque et romaine, générer le respect des animaux reconnus comme sacrés dans la vie quotidienne.

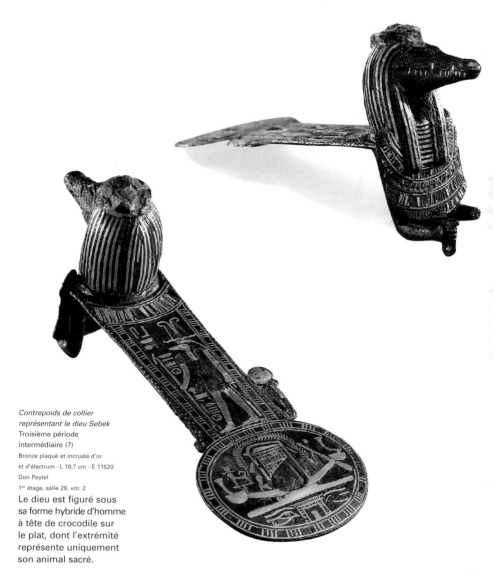

Contrepoids de collier
représentant le dieu Sebek
Troisième période
intermédiaire (?)
Bronze plaqué et incrusté d'or
et d'électrum - L 18,7 cm - E 11520
Don Peytel
1er étage, salle 29, vitr. 2

Le dieu est figuré sous
sa forme hybride d'homme
à tête de crocodile sur
le plat, dont l'extrémité
représente uniquement
son animal sacré.

Amon *(Imen)*

Roi des dieux, Amon est le seigneur des temples de Karnak et de Louxor. Sa personnalité s'est formée vers 2000 avant J.-C., date à laquelle il supplante Montou comme maître de la province de Thèbes. Il emprunte alors certaines fonctions de **Rê** et de **Min** : sous son nom d'Amon-Rê, il est le soleil qui donne la vie au pays ; sous son nom d'Amon-Min, il est le taureau procréateur qui a fait les hommes et créé les animaux.

Il est le plus souvent représenté comme un homme vêtu du pagne royal et coiffé de deux hautes plumes droites. Il peut aussi se présenter sous l'apparence du dieu Min : un homme au sexe dressé, revêtu d'une étoffe moulante et coiffé de deux plumes, tenant de son bras levé un chasse-mouches. Il se manifeste également sous la forme d'un bélier et, plus rarement, d'une oie.

Le dieu Amon sous la forme d'un bélier
Nouvel Empire,
XIXᵉ-XXᵉ dynastie,
XIIIᵉ-XIᵉ siècle av. J.-C.
Calcaire - H 16,5 cm ; L 15 cm
E 13110
RdC, salle 19

Amon
Nouvel Empire (?)
Stéatite (?) - H 14,8 cm - N 4404

Anouket *(Anqet)*

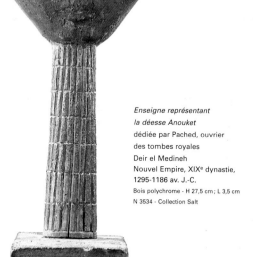

Anouket est l'associée de **Satet** et de **Khnoum.** Satet fait monter les eaux de la crue libérée par Khnoum, Anouket en assure le retrait au bon moment. Elle est aussi la «dame des pays du Sud», à savoir la Nubie et le Soudan, où les Égyptiens allaient chercher des produits précieux.
Ce caractère exotique se retrouve dans sa coiffure: des plumes d'autruche piquées sur le pourtour d'un bonnet. La gazelle lui est consacrée.

Enseigne représentant
la déesse Anouket
dédiée par Pached, ouvrier
des tombes royales
Deir el Medineh
Nouvel Empire, XIXᵉ dynastie,
1295-1186 av. J.-C.
Bois polychrome - H 27,5 cm; L 3,5 cm
N 3534 - Collection Salt

7

Anubis *(Inpou)*

Maître des cimetières, Anubis préside aux opérations d'embaumement, procédé qu'il mit au point pour sauver de la destruction le corps démembré du dieu **Osiris.** À ce titre, il veille à la momification de tous les morts et les introduit dans l'au-delà. Il est représenté comme un homme à tête de chien ou sous la forme d'un chien sauvage noir. Cet animal qui hante les nécropoles lui est associé.

Anubis
Basse Époque, 664-332 av. J.-C.
Bronze - H 16,7 cm - E 4550

Anubis
Basse Époque (?)
Verre moulé - H 11,6 cm ; L 5,9 cm
E 22291 - Legs A., L. et I. Curtis

Apis *(Hepou)*

Imout adorant le taureau Apis
Basse Époque,
début de la XXVIe dynastie,
vers 660 av. J.-C.
Calcaire peint - H 14,5 cm ; L 10,5 cm
IM 2862 - RdC, salle 19, vitr. 14

Le taureau divin Apis
Basse Époque, 664-332 av. J.-C.
Bronze - H 16,8 cm - AF 12545

« Réplique vivante » sur terre du dieu
Ptah, Apis est le taureau sacré vénéré à
Memphis. Objet d'un culte important,
il est unique parmi tous les taureaux
du pays et reconnaissable à un certain
nombre de marques. Il présente notamment des taches spécifiques sur son
pelage dont un triangle sur le front.
À sa mort, il est momifié et enterré
au Serapeum de Saqqara, la nécropole
réservée aux Apis. Ses prêtres cherchent
alors parmi les troupeaux égyptiens
celui qui sera son successeur.
À sa représentation animale peut s'ajou-
ter celle d'un homme à tête de taureau.

Atoum *(Temou)*

Le dieu Atoum
Revers de la stèle de la dame
Taperet (détail)
Troisième période intermédiaire,
XXIIe dynastie,
vers 945-715 av. J.-C.
Bois stuqué et peint
H 31 cm ; L 29 cm ; Ép 2,6 cm
E 52
1er étage, salle 29

Atoum sous forme de serpent
(au centre du groupe)
Basse Époque (?)
Bronze et verre - H 14,5 cm ; L 6,5 cm
E 27690

Atoum est le père et le roi de tous les
dieux, le créateur de l'univers. Par sa
seule volonté, il s'est extrait du chaos
initial ; puis, en crachant, en soufflant,
ou en se masturbant, il a donné
naissance au premier couple divin,
Chou et **Tefnout.**
Il est le plus souvent figuré comme
un roi vêtu d'un pagne, et plus rarement
sous l'aspect d'un serpent, coiffé
de la double couronne de Haute
et Basse-Égypte. Aîné des dieux, il est
aussi le soleil déclinant au crépuscule.
Il est représenté alors comme un homme
à tête de bélier.

Bastet *(Bâstet)*

Bastet a le plus souvent l'aspect d'une chatte, ou celui d'une femme à tête de chatte vêtue d'une robe et tenant un sistre. À partir de 1000 avant J.-C., elle apparaît ainsi comme une déesse joyeuse, éprise de musique et de danse. Cependant, elle est avant tout une de ces déesses lionnes, comme **Sekhmet** ou **Ouadjet,** terribles dans leurs colères, mais alliées efficaces lorsqu'elles sont apaisées, et que leur courroux est dirigé contre l'ennemi. Comme telle, elle est alors représentée sous l'aspect d'une femme à tête de lionne.

Bastet sous forme de chatte
dédié par Paounhatef
Basse Époque, 664-332 av. J.-C.
Bronze - H 7,6 cm - E 14282 bis

L'animal a les oreilles percées et porte au front un scarabée.

Bastet
Basse Époque, 664-332 av. J.-C.
Bronze - H 14,5 cm - N 3857

La déesse tient un panier et joue d'une sorte de crécelle, le sistre.

Bès *(Bes)*

Bès ailé
dédié par le chancelier Pakhar
Basse Époque,
XXVIᵉ dynastie (saïte),
règne de Psammétique Iᵉʳ,
664-610 av. J.-C.

Bronze incrusté d'or
H 28,8 cm ; L 7,5 cm ; Pr 17,5 cm
E 11554 - 1ᵉʳ étage, salle 29, vitr. 13

Bès
VIIᵉ-VIᵉ siècle av. J.-C.

« Faïence égyptienne » et cornaline (?)
H 17,5 cm ; L 17,5 cm
E 10929

En dépit de son apparence peu enga-
geante, Bès est un génie protecteur des
plus efficaces : il aide aux accouchements,
répand la joie en dansant et jouant
de la musique, veille sur le sommeil et
les rêves et écarte le mauvais œil.
À la Basse Époque, il prend un aspect
plus terrifiant ou se transforme en un
être composite à plusieurs têtes et muni
d'ailes multiples. Bardé de signes pro-
tecteurs et brandissant des couteaux, il
écarte impitoyablement les forces du mal.

Chou *(Chou)*

Issu d'**Atoum,** Chou forme avec sa jumelle Tefnout le premier couple divin. Il incarne à la fois l'essence lumineuse du soleil rayonnant et l'air nécessaire à toute vie. Un genou posé sur le corps de son fils Geb, la terre, il soulève et soutient de ses bras le corps de sa fille **Nout,** la voûte céleste, fixant ainsi la forme du monde organisé.
Sous sa forme d'**Onouris,** il met fin à la fugue de Tefnout et défend **Rê** contre ses ennemis.

Chou soulevant le disque solaire
Basse Époque, 664-332 av. J.-C.
« Faïence égyptienne » - H 5,64 cm
AF 195

Nout et Geb formant l'étendue du monde organisé où circule la barque de Rê
Papyrus de Nespakachouty, scribe comptable des grains d'Amon (détail)
Troisième période intermédiaire, XXIe dynastie, 1069-945 av. J.-C.
Papyrus et peinture
E 17401 - 1er étage, salle 29

Hathor *(Hout-her)*

Hathor est, avec **Isis,** la plus vénérée des déesses. Les formes sous lesquelles on l'adore sont nombreuses : serpent, arbre, lionne ou plus fréquemment une vache. Déesse dispensatrice de joie, elle est « la dame de l'ivresse » en l'honneur de laquelle on boit du vin et joue de la musique. Elle est aussi la protectrice de la nécropole de Thèbes, celle qui sort de la falaise occidentale pour accueillir les morts et veille sur les tombes qui y sont creusées. Parmi ses sanctuaires qui se répartissent dans tout le pays, le plus illustre est le temple de Dendéra. Elle se présente sous la forme d'une vache ou sous l'aspect d'une femme qui en emprunte la tête ou les cornes enserrant le disque solaire. Un visage de femme, vu de face et pourvu d'oreilles de vache, la chevelure séparée en deux pans aux extrémités enroulées, suffit parfois à l'évoquer.

*La déesse Hathor
et le pharaon Séthi Ier*
Louxor, Vallée des Rois,
tombe de Séthi Ier (n° 17)
Nouvel Empire, XIXe dynastie,
règne de Séthi Ier,
vers 1294-1279 av. J.-C.
Calcaire peint
H 105 cm - L 26,5 cm
B 7 - N 124 - 1er étage, salle 27

*La vache Hathor protégeant
un roi*
Linteau dédié par Rames,
scribe royal à Deir el Medineh
Louxor, Deir el Medineh
Nouvel Empire, XIXe dynastie,
règne de Ramsès II,
1279-1213 av. J.-C.
Calcaire peint
H 34,9 cm ; L 80,5 cm ; Pr 10,3 cm
E 16276 - RdC, salle 12, vitr. 3

Horus *(Her)*

*Horus sous forme de faucon
dédié par Horemakhbit
Basse Époque, 664-332 av. J.-C.
Bronze - H 10,2 cm ; L 6,6 cm - N 4170*

*Horus sous la forme
d'un harponneur
Basse Époque, 664-332 av. J.-C.
Bronze - H 20,2 cm - E 7978*

Horus est représenté soit comme un faucon, coiffé souvent de la double couronne de roi de Haute et Basse-Égypte, soit comme un homme à tête de faucon. Son rôle de destructeur des forces du mal est rappelé parfois par la lance qu'il brandit.

Considéré comme le fils d'**Osiris** et d'**Isis,** il se voit attribuer le trône du monde des vivants après avoir vengé son père en triomphant de **Seth** et des forces du désordre. Roi de l'Égypte, le pharaon en est la manifestation sur terre. En tant que dieu du ciel, Horus est le faucon dont les yeux sont le soleil et la lune. Sous le nom d'« Horus-de-l'horizon », il est une des formes du soleil.

Horus l'enfant (Harpocrate)
(Her pâ chered)

Horus l'enfant
Basse Époque, 664-332 av. J.-C.
Bronze - H 19,5 cm - E 3642

Stèle magique du type dit
« Horus sur les crocodiles »
Époque ptolémaïque,
332-30 av. J.-C.
Serpentine - H 18,8 cm ; L 8,6 cm
E 20008

Horus l'enfant se présente comme
un enfant, généralement nu, coiffé de
la mèche latérale tressée propre aux
enfants, portant son doigt à la bouche
et empoignant des animaux dangereux.
En effet, le jeune Horus fut caché
dans les marais par sa mère **Isis** pour le
soustraire aux atteintes de **Seth** et de ses
complices. Guéri d'un venin mortel par
des formules magiques, il put atteindre
l'âge adulte et vaincre les assassins
de son père. Cette image du dieu enfant
devint très populaire à la Basse Époque,
et Horus l'enfant fut imploré comme le
grand protecteur dont la force magique
devait vaincre la maladie, les morsures
de serpent et les piqûres de scorpion.

Imhotep *(Iyemhetep)*

Imhotep
Époque ptolémaïque,
332-30 av. J.-C.
Bronze - H 13 cm ; L 4,4 cm - E 4216

Chancelier du roi Djéser, Imhotep vécut vers 2700 avant J.-C. et construisit pour son maître la plus ancienne des pyramides, la pyramide à degrés de Saqqara. Il écrivit le plus ancien recueil de sagesses, et se serait distingué aussi comme médecin. Le souvenir de son génie resta vivace, et, à la Basse Époque, il fut promu au rang de dieu et considéré comme le fils de **Ptah.** Patron des scribes et des médecins, il est représenté alors, assis sur un haut tabouret, un rouleau de papyrus déroulé sur les genoux.

Isis *(Aset)*

Isis est la plus populaire de toutes les déesses égyptiennes, le modèle des épouses et des mères, la protectrice à la magie invincible. Sœur et épouse d'**Osiris,** elle rassembla les membres dispersés de son bien-aimé tué par leur frère **Seth.** Grâce à ses pouvoirs magiques, elle réussit à le ranimer et put concevoir de lui un fils, **Horus l'enfant,** qu'elle cacha dans les marais impénétrables.
Elle est généralement représentée comme une femme portant sur la tête le signe qui sert à écrire son nom - le trône au haut dossier - ou la couronne constituée du disque solaire surmonté ou non de deux hautes plumes et enserré par des cornes de vache. On la trouve également donnant le sein à l'enfant Horus assis sur ses genoux. Munie de bras ailés, elle étend sa protection sur son époux ou son fils. Quand elle veille le cadavre de son frère, elle est représentée, comme sa sœur **Nephthys,** sous l'aspect d'une pleureuse se lamentant, les bras levés au ciel, ou sous celui d'un milan.

Isis donnant le sein à son fils Horus
Basse Époque,
664-332 av. J.-C.
Bronze incrusté et plaqué d'or
H 27,4 cm - E 3637

La déesse Isis
Détail de la cuve du sarcophage du pharaon Ramsès III.
Thèbes-ouest, Vallée des Rois, tombe de Ramsès III,
Nouvel Empire, XXᵉ dynastie, vers 1153 av. J.-C.
Granite - H 305 cm ; L 180 cm ; l 150 cm
D 1 – RdC, salle 13

Khnoum
Éléphantine
Troisième période
intermédiaire (?)
Argent - H 9 cm - N 357
Collection Denon

Momie de bélier
Éléphantine (?)
Basse Époque, 664-332 av. J.-C.
H 61,5 cm ; L 100 cm ; l 51,5 cm
E 3089 – RdC, salle 19, vitr. 9

Dieu bélier, Khnoum est aussi représenté sous l'aspect d'un homme à tête de bélier. Son sanctuaire principal se situe à Éléphantine où, en compagnie des déesses **Anouket** et **Satet,** il protège la Première Cataracte du Nil, et les cavernes mythiques d'où jaillit la crue. À l'image de celle du bélier, sa force procréatrice est grande. Dieux et hommes ont été façonnés sur son tour de potier, et il donne forme aux enfants avant de les placer dans le sein maternel.

À Thèbes, Khonsou, fils d'**Amon** et de **Mout,** est réputé, surtout à partir de la fin du Nouvel Empire, pour son pouvoir de guérisseur et son adresse à chasser les esprits mauvais. À l'origine, c'est un dieu lunaire, maître du temps, qui compte les années des hommes.

Il se présente le plus souvent comme un homme au vêtement moulant, coiffé de la mèche latérale de cheveux propre aux enfants et du disque lunaire, un croissant inclus dans un disque. Il peut aussi avoir une tête de faucon et être coiffé du disque et de la double plume.

Khonsou à tête de faucon
Basse Époque, 664-332 av. J.-C.
Bronze incrusté d'or - H 28 cm - E 3720
Don Tyszkiewicz

Khonsou
dédié par Horoudja
Basse Époque, 664-332 av. J.-C.
Bronze incrusté d'or - H 18 cm
E 4109

Maât *(Maât)*

Maât
Basse Époque, 664-332 av. J.-C.
Bronze - H 10 cm - E 4437

Maât est représentée sous l'aspect d'une femme coiffée d'une plume d'autruche, le signe hiéroglyphique qui signifie « justice » ou « vérité » et sert à écrire son nom. On la trouve aussi étendant ses bras pourvus d'ailes en signe de protection.

Présidant à l'ordre du monde dont les deux piliers sont la justice et la vérité, elle est la fille de **Rê**, le soleil. Chaque jour, le roi offre son image aux dieux pour les inciter à renouveler l'équilibre de la création, et c'est selon ses préceptes que doivent se comporter les hommes. Elle veille sur les tribunaux, et notamment sur le plus important, celui où sont jugés les morts, dans la « salle des deux Maât ». La déesse se dédouble alors en une Maât fille du soleil et une Maât fille de la lune.

Min
dédié par Padibastet
Basse Époque, 664-332 av. J.-C.
Bronze - H 18,3 cm - E 4073

Dieu procréateur très ancien, Min est représenté comme un homme debout, le corps enserré dans un vêtement moulant, tenant de sa main gauche son sexe raidi, et brandissant dans sa main droite un chasse-mouches. Il est coiffé de deux hautes plumes droites semblables à celles de la coiffure d'**Amon.** De Min dépendent multiplication des troupeaux et fertilité des champs. Chaque année, on célèbre en son honneur la plus importante fête de la moisson. Maître de la ville de Coptos, située au débouché de la vallée reliant le Nil et la mer Rouge, il est le seigneur du désert arabique et de ses abondantes ressources minières, et, de ce fait, le protecteur des caravanes et des expéditions de prospecteurs.

Comme le taureau **Apis,** pour le dieu **Ptah,** le taureau Mnévis est la « réplique vivante » sur terre du dieu **Rê.**
Son culte est de ce fait étroitement lié à la ville d'Héliopolis, sanctuaire majeur de ce dieu. Outre son pelage noir, il présente lui aussi un certain nombre de marques distinctives. Après sa mort, il est également momifié et enterré dans une nécropole spécifique, proche d'Héliopolis.

Le taureau Mnévis en compagnie
d'une vache sacrée
Stèle de Pakamen,
lieutenant de la maison de Rê
Nouvel Empire,
époque des Ramsès,
XIIIe-XIe siècle av. J.-C.
Calcaire peint - H 42 cm ; L 26 cm
E 11898 - RdC, salle 19, vitr. 4

Montou *(Mentou)*

Avant d'être supplanté vers 2000 avant J.-C. par **Amon,** Montou était le seul maître de la région de Thèbes. Il demeura néanmoins le dieu principal de nombreux sanctuaires de la région, comme Ermant, Tôd ou Médamoud. Dieu faucon, il est le plus souvent représenté comme un homme à tête de faucon coiffé du disque solaire orné de deux cobras et de deux hautes plumes. Dieu guerrier, il tend au roi ses armes avant la bataille, l'assiste et lui promet la victoire. Il peut aussi s'incarner dans un taureau assoiffé de combats qui encorne ses ennemis ou, sous le nom de Boukhis, représenter un aspect du soleil.

Le dieu Montou
à tête de taureau
Médamoud
Époque ptolémaïque,
332-30 av. J.-C.
Calcaire – H 78,5 cm ; Pr 38 cm ; L 19,1 cm
E 12922 – RdC, salle 12

Montou
dédié par Iry
Basse Époque, 664-332 av. J.-C.
Bronze – H 30,3 cm – AF 588

Mout *(Mout)*

Le plus souvent représentée comme une femme coiffée de la double couronne de Haute et Basse-Égypte, Mout peut apparaître sous la forme d'une lionne ou d'un vautour. En effet Mout veut dire « mère » et s'écrit avec le hiéroglyphe du vautour. C'est probablement à l'origine une déesse vautour mère, maîtresse d'un sanctuaire proche de Karnak à Thèbes. Avec **Amon,** dont elle devint l'épouse, et **Khonsou,** qui fut considéré comme son fils, elle forme la famille divine vénérée dans les temples de toute la région thébaine.

Néfertoum
XXXᵉ dynastie, 378-341 av. J.-C.
« Faïence égyptienne » - H 10,3 cm
E 3502

Néfertoum est représenté en général comme un homme coiffé d'un nénuphar surmonté de hautes plumes, ou simplement comme la fleur couronnée de plumes.

Il évoque peut-être le nénuphar qui émerge de l'océan initial, première manifestation de vie qui fait jaillir la lumière sur le monde et l'emplit de son parfum bienfaisant. Il se ferme la nuit et s'épanouit au matin, accompagnant le cycle du soleil auquel il a été assimilé. Vénéré dans la région de Memphis, il est le fils du principal dieu local, **Ptah**, et de **Sekhmet**.

Neith *(Net)*

Neith
Basse Époque, 664-332 av. J.-C.
Bronze incrusté et plaqué d'or
H 23 cm - E 3730 - Don Tyszkiewicz

Neith est la plus ancienne déesse attestée par les textes. Son nom s'écrit avec deux flèches, ou deux arcs, ce qui la désigne bien comme une déesse guerrière.

Il évoque peut-être une femme coiffée de la couronne rouge de Basse-Égypte, elle est principalement vénérée à Saïs, dans le Delta, et à Assiout, en Moyenne-Égypte. Elle fut peut-être la patronne de la Basse-Égypte bien avant l'unification du pays.

Malgré des liens avec certains dieux, comme **Sebek,** elle paraît être une divinité indépendante, créatrice universelle se suffisant à elle-même, un des rares principes créateurs féminins, ou bisexués, parmi les dieux égyptiens.

Nekhbet *(Nekhebet)*

Nekhbet
dédié par le général
Psametikmenekhib
VIIᵉ-VIᵉ siècle av. J.-C.
Bronze doré - H 25,8 cm - E 27210

La déesse Nekhbet
sous forme de vautour
Bas-relief provenant
d'Éléphantine (détail)
Nouvel Empire, XVIIIᵉ dynastie,
règne de Thoutmosis III,
1479-1425 av. J.-C.
Grès - H 144 cm - L 140 cm
B 66 - E 12921 bis (H)
RdC, salle 12, vitr. 6

Quand elle n'est pas un vautour, Nekhbet
est une femme coiffée de la dépouille
de ce rapace et de la couronne blanche
de la Haute-Égypte.
Déesse protectrice de la royauté de
Haute-Égypte, elle est souvent associée
à l'image du roi, en compagnie de
Ouadjet, déesse cobra de la Basse-Égypte.
Elle doit cette prérogative à son statut
de maîtresse de la ville d'Elkab,
ancienne capitale du sud du pays
avant l'unification.

Nephthys *(Nebet-hout)*

Nephthys est presque toujours représentée comme une femme coiffée du signe qui écrit son nom : une enceinte rectangulaire surmontée d'une corbeille. Fille de Geb et de **Nout,** elle est la sœur d'**Osiris** et d'**Isis** mais aussi de **Seth,** leur frère et ennemi, dont elle est l'épouse. Cependant, elle se comporte presque toujours en fidèle associée de sa sœur Isis. Avec elle, elle part à la recherche des membres d'Osiris. Avec elle, elle pleure sa mort et protège son cadavre, prenant également la forme d'un milan. Avec Isis toujours, elle étend sa protection sur les entrailles des morts conservées dans les « vases-canopes ». C'est encore en sa compagnie qu'elle accueille le soleil levant et le défend contre le terrible serpent Apophis.

La déesse Nephthys
Détail de la cuve du sarcophage
du pharaon Ramsès III.
Thèbes-ouest, Vallée des Rois,
tombe de Ramsès III
Nouvel Empire, XXᵉ dynastie,
vers 1153 av. J.-C.
Granite - H 305 cm ; L 180 cm ; l 180 cm
D 1 – RdC, salle 13

Nout *(Nout)*

Sœur de Geb, la terre, Nout est la voûte céleste, femme arc-boutée au-dessus de son frère et soutenue par son père **Chou**. Elle avale le soleil le soir et le remet au monde le matin entre ses cuisses. Elle avale aussi les étoiles et les remet au monde : elles redeviennent alors visibles. Elle aide également les morts à s'unir aux corps célestes et les désaltère dans l'au-delà. Ainsi prend-elle soin de ses enfants - le soleil, les étoiles ou les défunts - en les intégrant dans son corps. Le fait de manger sa progéniture, explique l'une des formes sous lesquelles Nout est représentée : une truie allaitant ses porcelets… néanmoins capable de les dévorer.

La déesse Nout
Revers du couvercle
du sarcophage de Djedhor
Basse Époque, 664-332 av. J.-C.
Grauwäcke
H 120 cm ; L 285 cm ; l 124 cm - D 9
RdC, salle 15

Nout sous la forme d'une truie
Basse Époque, 664-332 av. J.-C.
« Faïence égyptienne »
H 7,5 cm ; L 14,3 cm - E 14357

*La déesse Nout du cœur
d'un sycomore*
Papyrus de Nespakachouty,
(détail)
Troisième période intermédiaire,
XXIe dynastie, 1069-945 av. J.-C.
Papyrus et peinture - E 17401
1er étage, salle 29

Onouris *(In-heret)*

Onouris
Basse Époque, 664-332 av. J.-C.
Bronze - H 21,5 cm - E 3741
Don Tyszkiewicz

Onouris, le dieu « au bras puissant », est reconnaissable aux quatre hautes plumes de sa coiffure. Brandissant une lance, il est une manifestation de **Chou,** champion de **Rê** massacrant ses ennemis et exterminant les forces du mal. Son ardeur au combat égale celle de **Montou** et peut même devenir une folie meurtrière. Il a été pour cela souvent assimilé à **Seth.** Son nom, « celui qui ramène la lointaine », évoque un autre aspect emprunté à Chou. Sa sœur jumelle **Tefnout** s'étant enfuie, Chou alla la rechercher et la convainquit de revenir en Égypte auprès de son père, **Atoum.**

Osiris *(Ousir)*

Seigneur des villes d'Abydos et de Busiris, Osiris est le gage de renaissance de la nature et des morts. Fils aîné de Geb et de **Nout,** il succéda à son père sur le trône d'Égypte. Son frère **Seth** le tua par jalousie et dispersa à travers tout le pays les morceaux de son cadavre. Ses sœurs, **Isis** et **Nephthys,** les retrouvèrent et, avec l'aide d'**Anubis,** lui rendirent la vie pour permettre à Isis de concevoir **Horus.** Ayant légué la royauté terrestre à son fils, Osiris règne sur le monde souterrain et juge les morts auxquels il peut accorder la vie éternelle auprès de lui.

Sous son aspect de lune, il est la contrepartie nocturne de **Rê** qui traverse son domaine et reçoit son aide en vue de sa résurrection à l'aube.

Son aspect le plus courant est celui d'un homme au vêtement moulant, coiffé d'une haute couronne flanquée de plumes d'autruche, tenant un sceptre recourbé et un chasse-mouches.

Osiris
Basse Époque, 664-332 av. J.-C.
Bronze incrusté d'or - H 17 cm
E 3751 - Don Tyszkiewicz

Amulette en forme de pilier djed
Basse Époque, 664 -332 av. J.-C.
«Faïence siliceuse» - H 8,3 cm ; L 2,1 cm
AF 2926
RdC, salle 18, vitr. 2

Le reliquaire d'Abydos
Couvercle de sarcophage
de Nakhtkhonsouirou
dit Imeneminet (détail)
Troisième période intermédiaire,
1064-664 av. J.-C.
Toile agglomérée stuquée et peinte
H 187,5 cm ; L 48 cm - E 5534
RdC, salle 13

Ouadjet *(Ouadjyt)*

Ouadjet est «Celle du papyrus» - plante héraldique de la Basse-Égypte -, «la verdoyante», le cobra vénéré à Bouto qui fut sans doute la capitale du nord du pays, peu avant les débuts de l'histoire. Patronne du Delta, elle s'associe à **Nekhbet,** la déesse vautour de Haute-Égypte, pour protéger la royauté du double pays.

Quand elle n'est pas simplement représentée sous forme de femme, elle est un cobra souvent coiffé de la couronne rouge du Nord. À l'époque tardive, elle emprunte aussi l'aspect d'une déesse à tête de lionne comme **Sekhmet** ou **Bastet.** On lui dédie parfois des figurines de mangouste, son animal sacré.

Ouadjet
dédié par Horsankhouadjet
Saqqara, Serapeum
Basse Époque, 664-332 av. J.-C.
Bronze - H 18 cm - N 5139

Ouadjet à tête de lionne
Basse Époque, 664-332 av. J.-C.
Bronze - H 9,7 cm - E 4720

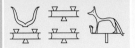

Oupouaout *(Oupouaout)*

Oupouaout est «l'ouvreur des routes», le chien rapide, compagnon des anciens Égyptiens dans leurs chasses et leurs guerres, maître de la ville d'Assiout. C'est le guide des dieux et des rois, mais aussi celui des morts du fait de sa ressemblance avec **Anubis** l'embaumeur. Il se dédouble parfois en un Oupouaout du Nord et un Oupouaout du Sud. Souvent accompagné de cobras, il est presque toujours représenté comme un chien debout alors qu'Anubis est habituellement couché.

Oupouaout
Saqqara, Serapeum
Basse Époque, 664-332 av. J.-C.
Bronze - H 11,6 cm - AF 287

Ptah *(Pteh)*

Ptah, dieu « au beau visage », est « celui qui a façonné les dieux et fait les hommes », et « qui a créé les arts ». Maître de Memphis, capitale de l'Égypte de l'Ancien Empire, il a conçu le monde en pensée et l'a créé par sa parole. Il est le patron des artisans, notamment des orfèvres. À Memphis, il a pour épouse la redoutable **Sekhmet** et pour fils le dieu au nénuphar **Néfertoum,** mais aussi, tardivement, **Imhotep.** Sur terre, le taureau **Apis** est sa « réplique vivante ». Ptah est toujours représenté comme un homme, enveloppé dans une étoffe moulante. Cependant, à la Basse Époque, un autre aspect s'ajoute, celui d'un nain nu, qui souvent écrase des animaux nuisibles, crocodiles ou serpents. Sous cette forme, Ptah protège contre les dangers et les morsures tout comme **Horus l'enfant.** Ce sont ces représentations que les Grecs appelaient patèques du fait de leur ressemblance avec la divinité de ce nom, protectrice des marins phéniciens.

Ptah sous la forme d'un nain
Époque ptolémaïque,
332-30 av. J.-C.
« Faïence égyptienne » - H 9,1 cm
AF 1667

Ptah
Basse Époque, 664-332 av. J.-C.
Bronze incrusté d'or et d'électrum
H 11,2 cm - E 3305
Don Auguste Mariette

Rê (ou Râ) *(Ra)*

Rê
Nouvel Empire (?) ou postérieur
Bois - H 10,2 cm - E 5799

*Le disque solaire Aton adoré
par Khay, scribe de la table
d'offrandes du roi*
Nouvel Empire,
fin de la XVIIIe dynastie,
vers 1338-1295 av. J.-C.
Calcaire - H 59 cm ; L 63 cm ; Ép 12 cm
C 321 – 1er étage, salle 26, galerie d'étude

Rê, dieu soleil, donne la vie à tous les hommes, illumine le pays de sa beauté, il est le seigneur du ciel. En lui se mêlent de nombreux dieux, qui peuvent avoir une existence indépendante, comme **Amon,** mais qui souvent ne sont que des phases, des formes, des noms de Rê. Aton, le disque solaire, est sa forme visible par tous. Pendant les dix-sept ans de son règne (1353-1337 avant J.-C.), Aménophis IV-Akhénaton imposera son culte au détriment de celui des autres dieux.

Khépri est le scarabée, «celui qui vient
à l'existence», le soleil qui renaît en
surgissant de l'horizon à l'aurore.
Horakhty, «Horus de l'horizon», est
le faucon qui plane au zénith.
Atoum, le grand dieu venu par lui-même
à l'existence, prête à Rê sa nature de
dieu unique advenu dans les temps
primordiaux. Créateur de la terre, père
des dieux, il est le soleil au crépuscule,
représenté comme un vieillard ou un
homme à tête de bélier. Ce sont là ses
formes, quand, dans sa barque, il par-
court le ciel d'est en ouest. La nuit, il est
avalé par sa mère, **Nout,** ou s'enfonce
dans le monde souterrain.
Là, il rejoint **Osiris** avec lequel il ne fait
plus qu'un, et réchauffe les morts des
restes de sa lumière. Là surtout, en une
terrible navigation au milieu des forces
hostiles du néant, il puise de nouvelles
forces pour renaître, se mettre au monde
lui-même.

*Le dieu Ré sous la forme
du scarabée Khépri
juste avant l'aube*
Livre des demeures secrètes
(détail de la dernière heure
de la nuit)
Troisième période intermédiaire, vers 1069-664 av. J.-C.
Papyrus - H 37 cm ; l totale 5,94 m
N 3071

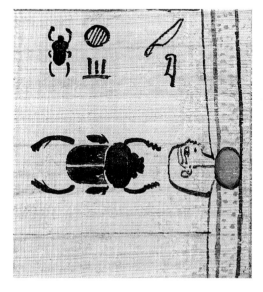

Satet *(Settet)*

Satet
dédié par Padiimen
Saqqara, Serapeum
Basse Époque, 664-332 av. J.-C
Bronze - H 14,1 cm - N 5031

Satet est la maîtresse des îles de Séhel et d'Éléphantine, près d'Assouan, à la frontière sud de l'Égypte, au seuil de la Première Cataracte. Elle veille donc sur les lointains pays méridionaux d'une part et, d'autre part, déverse sur l'Égypte l'eau du Nil qu'une légende fait jaillir des cavernes de la cataracte. Épouse du dieu **Khnoum,** associée à la déesse **Anouket,** elle est régulièrement représentée comme une femme coiffée de cornes d'antilope et de la couronne blanche de Haute-Égypte.

Sebek *(Sebek)*

Sebek
dédié par Payou
XXVIᵉ dynastie (saïte),
VIᵉ siècle av. J.-C,
règne de Psammétique II (?)
Bronze plaqué d'argent - H 29,8 cm
E 10782

Sebek, le redoutable seigneur des eaux, est représenté sous forme de crocodile ou d'homme à tête de crocodile. Plongeant dans les eaux profondes, il en connaît les dangers et peut en triompher grâce à son agressivité naturelle.

Il en émerge pour gagner la berge tout comme le premier soleil. Sebek est de ce fait souvent assimilé à **Rê.** Il est aussi considéré comme le fils de **Neith,** déesse créatrice du monde. Il fut particulièrement vénéré dans le Fayoum, où les crocodiles lui étaient consacrés.

Amulette en forme de crocodile
Faïence siliceuse jaune
H 2,1 cm ; L 6,1 cm ; l 1,65 cm
AF 2127 - RdC, salle 3

Séchat *(Sechat)*

Bibliothécaire des dieux, Séchat a inventé l'écriture et veille aussi sur les archives des rois : elle enregistre leurs années de règne, comptabilise leurs triomphes et leurs butins, conserve les plans de leurs constructions, dont elle est l'inspiratrice. Elle est l'associée, l'épouse ou la sœur de **Thot,** la protectrice des scribes et des architectes. On la représente comme une femme couronnée d'un emblème dont le centre est une étoile entourée de serpents ou de cornes renversées. Elle tient souvent la palette et le pinceau des scribes.

Sekhmet *(Sekhmet)*

La déesse Sekhmet
Nouvel Empire,
vers 1360 av. J.-C.
Diorite - H 170,5 cm - A 5
RdC, salle 12

Les nombreuses déesses lionnes, **Bastet, Ouadjet,** Mehyt, etc., peuvent devenir des fauves redoutables pour qui n'a pas su se concilier leur faveur. Parmi elles, Sekhmet, « la puissante », est celle qui a le plus mauvais caractère et les colères les plus effroyables. Ses messagers, les flèches de son arc, ou son souffle de feu répandent dans le pays les vents brûlants, les épidémies et la mort. Une fois même, aveuglée par la fureur, elle faillit exterminer l'humanité entière. Il est donc indispensable de l'apaiser. **Rê** avait obtenu ce résultat en la saoulant, sauvant ainsi les hommes, qui, eux, doivent recourir aux fêtes et aux offrandes.
On peut ainsi obtenir son aide et diriger son courroux contre un adversaire : le grand serpent Apophis, qui s'oppose à la marche du soleil, ou les comparses de **Seth,** qui menacent **Osiris** ou **Horus,** les ennemis du roi en temps de guerre, les agents responsables de la maladie dans le corps des hommes. Ses prêtres sont experts en magie et en médecine. Son principal sanctuaire est situé à Memphis, où elle est considérée comme l'épouse de **Ptah** et la mère de **Néfertoum.**
Elle est presque toujours figurée comme une femme à tête de lionne, couronnée du disque solaire.

On représente Selket comme un scorpion au buste de femme, ou, plus souvent, comme une femme couronnée d'un scorpion étendant ses bras en signe de protection.

Son venin et sa magie puissante aident ses prêtres et les dieux menacés, comme **Horus l'enfant** ou **Rê,** à écarter les ennemis, et à guérir maladies et piqûres de scorpion. Elle veille à la naissance et à l'alimentation du pharaon. Associée à **Neith, Isis** et **Nephthys,** elle protège les « vases canopes », dans lesquels sont conservés les viscères des défunts.

Seth *(Setech)*

Seth
Nouvel Empire, XIXᵉ dynastie,
règne de Ramsès II,
1279-1213 av. J.-C.
Stéatite (?) - H 17 cm ; L 9 cm - E 3374

Le dieu est accompagné
de sa sœur Nephthys

Seth est le très puissant maître des déserts, des montagnes et des pays étrangers, le seigneur des orages. Fils de Geb et de **Nout,** frère d'**Osiris,** c'est un dieu à la nature complexe et ambiguë. Allié précieux qui, à la proue de la barque de **Rê,** transperce de sa lance les ennemis, il prête aussi à Pharaon combattant la force terrible de son bras. Mais, à l'image du désert, il est dangereux, violent, imprévisible. C'est cet aspect négatif qui prédominera à la Basse Époque. La légende d'**Osiris** le montre également sous ce jour défavorable : assassin de son frère, il poursuit de sa haine **Horus,** fils et héritier d'Osiris. Malgré ses nombreuses défaites, jamais Seth ne renonce à la lutte, car il est le fauteur de troubles dans le monde régi par **Maât,** toujours combattu et vaincu, mais toujours renaissant car nécessaire. Il prend l'aspect d'un animal étrange, non identifiable, mélange sans doute stylisé de divers animaux du désert : une sorte de lévrier aux longues oreilles, au museau recourbé, à la queue longue et fourchue.

Le dieu Seth
sous forme de sphinx
Cintre d'une stèle d'offrande
du roi Ramsès II à la déesse
Astarté (détail)
Nouvel Empire, XIXᵉ dynastie,
règne de Ramsès II,
1279-1213 av. J.-C.
Calcaire - H 48,5 cm ; L 52,5 cm
E 26017
1ᵉʳ étage, salle 27, vitr. 6

Sokar *(Zeker)*

Sokar
Fragment de cartonnage
au nom de Padiouf
Troisième période intermédiaire,
vers 1069-664 av. J.-C.
Toile agglomérée stuquée et peinte
H 22 cm ; L 19,5 cm - N 3948

Le dieu est ici représenté
par l'intermédiaire de sa
barque sacrée.

Dieu des cimetières de la région de Giza
et de Memphis, Sokar est aussi le patron
des artisans qui travaillent le métal.
Il emprunte de nombreuses fonctions
aux dieux **Ptah** et **Osiris** au point de
se confondre avec eux en un dieu appelé
Ptah-Sokar-Osiris.
On le représente généralement sous
la forme d'un faucon momifié couvert
d'un linceul, ou sous la forme d'un
homme à tête de faucon.
Il peut être aussi simplement évoqué
par la représentation de sa barque sacrée
reconnaissable à la tête d'antilope-oryx
qui en orne la proue.

Thot *(Djehouty)*

Thot
Basse Époque, 664-332 av. J.-C.
«Faience égyptienne»
H 12,2 cm - N 4081

Thot sous forme de babouin
dédié par Hor
Basse Époque, 664-332 av. J.-C.
Bronze - H 12,7 cm ; L 4,7 cm ; Pr 9,3 cm
E 14206

Thot est le sage, le savant, le magicien maître des paroles divines, qui enseigna aux hommes les hiéroglyphes. Scribe, assistant, premier ministre des dieux, de **Rê** en particulier, il enregistre leurs créations et leurs décisions et leur donne réalité par l'écrit ou la parole. C'est lui qui, après avoir introduit le mort dans le tribunal d'**Osiris,** consigne le résultat de la pesée de son cœur et proclame son triomphe. En tant qu'inspirateur de toute science, il est le patron des scribes qui doivent lui adresser une prière avant d'écrire. Il préside aussi à la mesure du cours du temps. À ce titre, le disque de la lune, dont les phases rythment les jours et les nuits, lui sert souvent de coiffure.

Il est représenté comme un ibis, ou un homme à tête d'ibis, ou encore comme un babouin.

Touéris *(Tâ-ouret)*

Touéris
Basse Époque, 664-332 av. J.-C.
. Bois - H 11,5 cm - AF 2956

« La grande » est un des noms que peut recevoir Touéris, déesse à l'aspect complexe mêlant des caractères humains à diverses parties d'animaux redoutables. À l'hippopotame elle emprunte son allure générale, au lion ses pattes, au crocodile la queue qu'elle porte parfois sur son dos, et à une femme des bras, la position debout ainsi qu'une poitrine tombante. Elle s'appuie en général sur le signe hiéroglyphique signifiant « protection ».

C'est en effet, comme Bès, dont elle partage la popularité et l'aspect redoutable, une divinité protectrice qui veille sur l'accouchement des femmes, l'éducation des enfants, le sommeil et la santé de tous.

Repères chronologiques

3800-3100 av. J.-C.	**Fin de la préhistoire** époques de Nagada		
3100-2700 av. J.-C.	**Époque thinite** dynasties 1 et 2		
2700-2200 av. J.-C.	**Ancien Empire** dynasties 3 à 6	Dynastie 3 dont Djéser	2700-2620 av. J.-C.
		Dynastie 4 dont Khéops	2590-2565 av. J.-C.
		Khéphren	2558-2533 av. J.-C.
		Mykérinos	2532-2515 av. J.-C.
2200-2033 av. J.-C.	**Première période intermédiaire** dynasties 7 à 11		
2033-1710 av. J.-C.	**Moyen Empire** dynasties 12 et 13	Dynastie 12 dont Sésostris Ier	1934-1898 av. J.-C.
		Sésostris III	1862-1843 av. J.-C.
1710-1550 av. J.-C.	**Deuxième période intermédiaire** dynasties 14 à 17		
1150-1069 av. J.-C.	**Nouvel Empire** dynasties 18 à 20	Dynastie 18 dont Hatchepsout	1479-1457 av. J.-C.
		Thoutmosis III	1479-1425 av. J.-C.
		Aménophis III	1391-1353 av. J.-C.
		Aménophis IV-Akhénaton	1353-1337av. J.-C.
		Toutankhamon	1336-1327 av. J.-C.
		Dynastie 19 dont Séthi Ier	1294-1279 av. J.-C.
		Ramsès II	1279-1213 av. J.-C.
		Dynastie 20 dont Ramsès III	1184-1153 av. J.-C.
1069-664 av. J.-C.	**Troisième période intermédiaire** dynasties 21 à 25 (« nubienne »)		
664-332 av. J.-C.	**Basse Époque** dynasties 26 (« saïte ») à 30 (règnes des rois Nectanébo)		
664-332 av. J.-C.	**Époque ptolémaïque** 332-30 av. J.-C.		

Musée du Louvre, Paris, 1998
Collection Chercheurs d'art

Conception, coordination et suivi d'édition :
Violaine Bouvet-Lanselle,
Service culturel

Les dieux de l'Égypte. Petit dictionnaire illustré
par Marc Étienne, conservateur au département des Antiquités égyptiennes du musée du Louvre

Conception graphique :
Agathe Hondré,
musée du Louvre
Supervision artistique :
Philippe Apeloig

Secrétariat d'édition :
Cécile Dufêtre,
musée du Louvre

Iconographie :
Catherine Bridonneau,
département
des Antiquités égyptiennes,
Isabelle Gaëtan,
Service culturel

Coordination de l'atelier graphique :
Anne-Louise Cavillon

Remerciements :
Cet ouvrage n'aurait pu être réalisé sans Jean-Louis de Cénival, conservateur général honoraire, qui conçut les textes et la vitrine du premier dictionnaire des dieux. Il doit également beaucoup à la collaboration de Patricia Rigault-Déon, à qui j'exprime toute ma gratitude. Que tous ceux qui, par leurs suggestions critiques et leurs patientes relectures, ont contribué à la réalisation de cet ouvrage soient ici remerciés, et plus particulièrement Geneviève Pierrat, Christophe Barbotin, Vincent Rondot, Catherine Bridonneau, Guillemette Andreu, Isabelle Franco, Élisabeth David, Jean-François Legrain.

Suivi de fabrication à la RMN :
Jacques Venelli

Photo de couverture :
Khousoumès effectuant une libation et un encensement pour le dieu Rê,
détail du *Livre des Morts* de Khousoumès,
XXIe dynastie,1069-945 av. J.-C.
N 3070

Crédits photographiques :
Larrieu / musée du Louvre :
p. 9 droite, 10 droite, 14 gauche, 16 droite, 21, 37 ;
Poncet / musée du Louvre :
p. 5, 6 gauche, 7-8, 9 gauche, 11 gauche, 12 droite, 13 gauche, 14 droite, 15, 16 gauche, 17, 18 haut, 20, 22-25, 27, 28 gauche, 30 droit haut, 31, 33-34, 35 droit, 36 bas, 39-40, 43-46 ; Musée du Louvre/DAE : 28 droite ; RMN : 30 gauche ; RMN/ Chuzeville : couverture, p. 2, 13 droite, 18 bas, 26, 29, 30 droit bas, 32 gauche et droit haut ; RMN/Larrieu : 36 haut ; RMN/Lewandowski : p. 6 droite, 10 gauche, 11 droite, 12 gauche, 19, 32 droit bas, 35 gauche, 38, 42 ; RMN/RG Ojeda : p. 41

Photogravure :
I.G.S. Angoulême

© Éditions de la Réunion des musées nationaux,
Paris, 1998
49, rue Étienne-Marcel
75001 Paris

Achevé d'imprimer
en février 2001
par Grou-Radenez et Mussot
Façonnage : S.F.R.

Premier dépôt légal : octobre 1998
Dépôt légal : février 2001
ISBN 2-7118-3756-4

Réunion
des Musées
Nationaux